U0337346

黑暗铗襀

襀翅目 襀科

体长约20毫米，分布在本州至九州等地区，生活在水质良好的小溪上游周边。

中国大锹

鞘翅目 锹甲科

雄性体长约45毫米，雌性体长约40毫米，分布在北海道至九州等地区，聚集在麻栎一类的树上吸食树汁。

亚洲飞蝗

直翅目 蝗科

体长35~65毫米，分布在北海道至九州等地区，喜好干燥的草原。

广斧螳

螳螂目 螳科

体长约50毫米，分布在本州至九州等地区，常见于树枝上，经常飞翔。

西方蜜蜂（欧洲蜜蜂）·雄性

膜翅目 蜜蜂科

体长约15毫米，分布在北海道至九州等地区，喜欢明亮的花田。

日本蚤蠊

蚤蠊目 蚤蠊科

体长约20毫米，分布在本州至九州等地区，生存在石块和朽木下。

日本桤翠灰蝶

鳞翅目 灰蝶科

前翅长约20毫米，分布在北道至九州等地区，经常聚集日本桤木上。

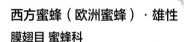

碧伟蜓

蜻蜓目 蜓科

体长约70毫米，分布在北海道至九州等地区，喜欢栖息在池塘等地。

斑尾大蚕蛾

鳞翅目 天蛾科

前翅长约50毫米，分布在北海道至九州等地区，经常聚集在日本桤木上。

大星齿蛉

广翅目 齿蛉科

前翅长约50毫米，分布在北海道至州等地区，生活在水流清澈的小溪上周边。

某种姬蜂

膜翅目 姬蜂科

体长约20毫米，它们通常将卵产在其他幼虫体中。

德罕翠凤蝶

鳞翅目 凤蝶科

前翅长约50毫米，分布在北海道至九州等地区，经常聚集在臭常山等树上。

日本蟪蝉

半翅目 蝉科

体长约30毫米，分布在北海道至九州等地区，喜欢昏暗的森林。

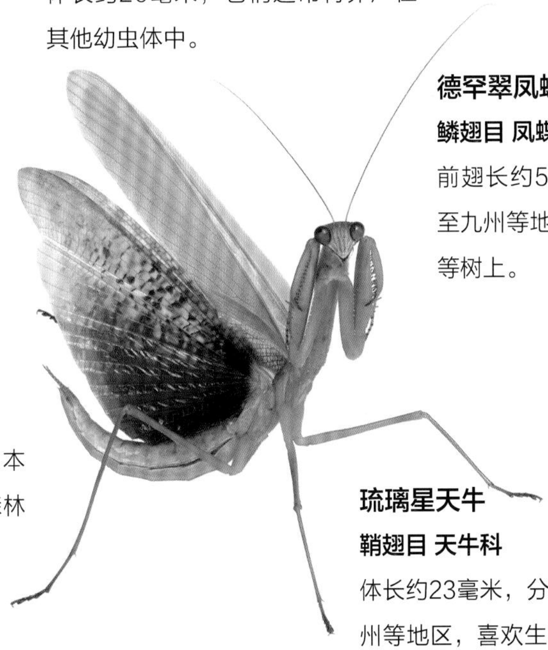

台湾大刀螳

螳螂目 螳科

体长约80毫米，分布在本州至九州等地区，喜欢森林和草原。

琉璃星天牛

鞘翅目 天牛科

体长约23毫米，分布在北海道至九州等地区，喜欢生活在凉爽的圆齿水青冈树林中。

高砂深山锹甲

鞘翅目 锹甲科

雄性体长约60毫米，雌性体长约30毫米，分布在北海道至九州等地区，一般在中午活动。

云斑白条天牛

鞘翅目 天牛科

体长约50毫米，分布在本州至九州等地区，常聚集在枹栎、麻栎等树上。

自然侦探团
ZIRAN ZHENTANTUAN

飞行的虫子
空を飛ぶ昆虫のひみつ

目录

我们来探索昆虫身体的奥秘吧！……4

翅膀的形成……6

昆虫翅膀的进化……8

岸边观察记录……10

各种各样的飞行方式……12

草原观察记录……18

树林观察记录……36

白颊鼯鼠观察记录……46

昆虫之外的飞行生物……48

升级飞行能力……50

昆虫的飞行原理……52

飞行昆虫还有许多奥秘等待我们去探索……54

[日]星辉行/著　光合作用/译　博得自然/审订

湖南科学技术出版社

高砂深山锹甲

白天，一只高砂深山锹甲飞过树林。

（快门速度：1/20 秒　体重：2.023 克）

人类为了实现长久以来对飞行的向往，发明了飞机等工具。

那其他生物又是如何实现飞行的呢？

每个物种中都存在竞争。为了在各自的生存竞争中胜出，一些生物进化出飞行这种技能，而拥有飞行技能的生物鼻祖就是昆虫。

我对这些昆虫着了迷，开始用镜头记录它们的一切，想要不断去探寻昆虫飞行的奥秘。

我们来探索昆虫身体的奥秘吧！

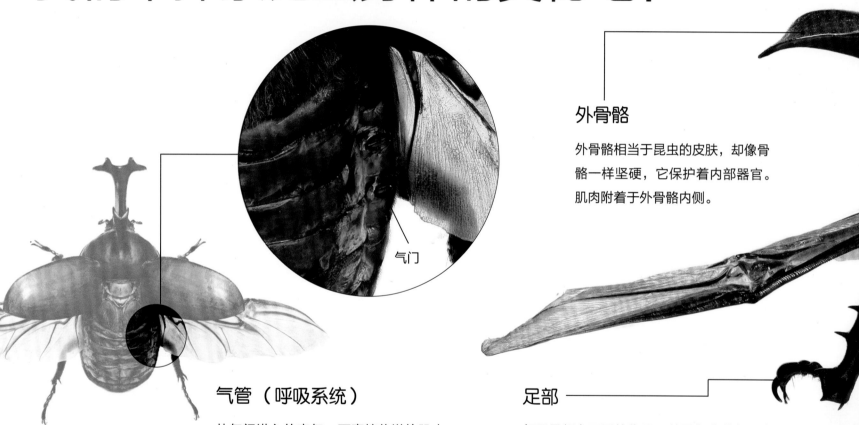

气门

外骨骼

外骨骼相当于昆虫的皮肤，却像骨骼一样坚硬，它保护着内部器官。肌肉附着于外骨骼内侧。

气管（呼吸系统）

从气门进入的空气，可直接传送给肌肉细胞，可见它们肌肉运动的速度有多快，据说可达到人类的十倍以上哦。

足部

每只足都有不同的作用，前足负责前行，中足起支撑作用，后足提供推动力。

翅膀

翅膀是从昆虫胸部生长出的器官。昆虫种类不同，翅膀的作用也不同。它可以帮助昆虫飞到空中去捕捉猎物、躲避天敌，可以靠振动发出声音，还可以为昆虫身体散热等。

既然昆虫有如此强大的能力，为什么它们还需要翅膀呢？
我对昆虫飞行的奥秘越来越好奇了。

复眼

复眼是由不定数量的小眼组成的器官，它能快速对焦，还能为昆虫提供 360 度全方位的视野，可以帮助它们捕捉快速移动的猎物。

翅膀的形成

古代昆虫是如何进化出翅膀的呢？

主要有两种说法：一种是无翅昆虫不断进化，它们的背侧板发展成了翅膀；第二种是针突、气管腮发展成了翅膀。

石蛃

❶ 背侧板

昆虫的躯干（胸部）由背胸和中胸构成，覆盖于两处的背板和腹板是由侧板连接在一起，而背侧板是指背板的侧部。

❷ 针突（退化的附肢）

针突是支撑昆虫的腹部，并感知腹部是否接触地面的一个器官，针突的基部长有肌肉。

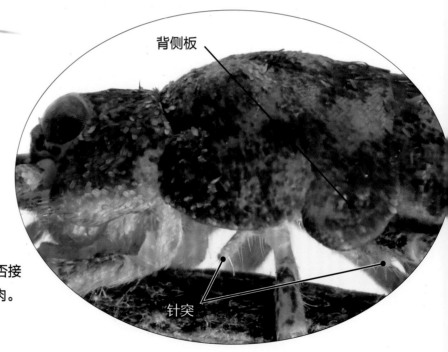

背侧板

针突

❸ 气管腮

气管腮原本是昆虫在水中用来呼吸的器官，后来它还演化出另外一个作用——推动昆虫在水中移动，它的基部长有肌肉。而翅脉其实是气管演化而成的。

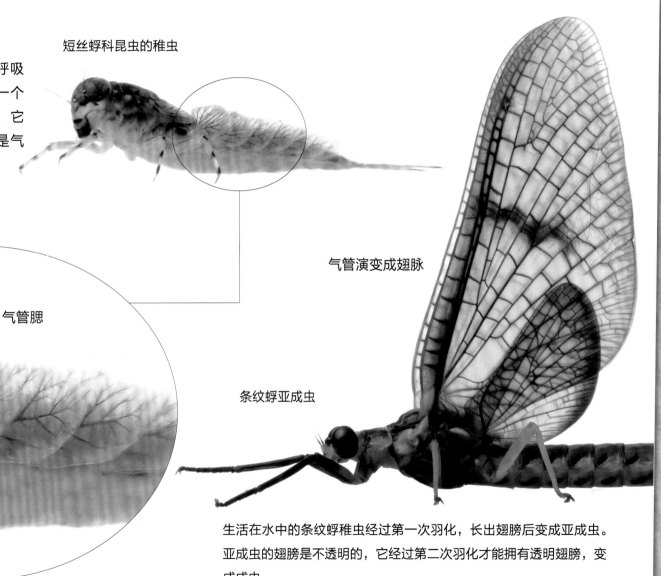

短丝蜉科昆虫的稚虫

气管

气管腮

气管演变成翅脉

条纹蜉亚成虫

生活在水中的条纹蜉稚虫经过第一次羽化，长出翅膀后变成亚成虫。亚成虫的翅膀是不透明的，它经过第二次羽化才能拥有透明翅膀，变成成虫。

昆虫翅膀的进化

距今 4 亿 8 千万年前，昆虫在地球上诞生了。

8 千万年后第一次出现长有翅膀的昆虫，我们将其称为古翅类昆虫。

我对昆虫翅膀的进化史非常感兴趣，做了很多调查。

新、古翅类昆虫共同的祖先族群

（原）弹尾目、（原）原尾目、（原）双尾目、石蛃目、缨尾目昆虫等。

新翅类昆虫背板上长有前、侧翅突[1]，它能让 4 只翅膀拥有更多功能。而连接翅突和背板的腋片[2]可以将昆虫翅膀折叠起来。

代表:石蝇、足丝蚁、蚱蜢、竹节虫、螳蟋、日本蚤蠊、蠼螋、缺翅虫、白蚁、蟑螂、螳螂

古翅类昆虫背板上的前、侧翅突能够带动翅膀使昆虫飞翔，但翅膀无法折叠，也不能前后活动。

代表：蜉蝣目、蜻蜓目昆虫

秋赤蜻

飞蝗

日本蚤蠊

小异竹节虫

---

1 前、侧翅突是指背板边缘的突起部分，连接腋片和翅，将通过背板变生的动力传达给腋片。

2 腋片是一组位于腋区关节部位的坚硬骨片，通过它可以改变翅膀的方折叠翅膀。动力通过翅突传给腋片，最后达到翅脉。详见第 52、53 页。

前翅突带动翅膀使昆虫飞翔，同时后翅也更加伸展。

代表：啮虫目、吸虱亚目、缨翅目、蜡总科昆虫

前、侧翅突连在一起，共同带动翅膀。翅膀的折叠能力也进一步提高。

高砂深山锹甲

斑纹角石蛾

靠侧翅突带动翅膀，关节处的构造不断进化，使得它们的飞行能力提高了，其中一些昆虫的翅膀折叠也变得更加复杂。

代表：鞘翅目、脉翅目、捻翅目、双翅目、膜翅目昆虫、蝎蛉科昆虫、跳蚤、石蛾、蝴蝶

日本蟪蝉

翅膀折叠的程度更高了。

大食虫虻

大星齿蛉

长须蜂

德罕翠凤蝶

新禳属昆虫

原来蜉蝣目、蜻蜓目昆虫是飞行类昆虫的祖先呀！

岸边观察记录

为了观察栖息在溪边的昆虫，我和朋友小池、浩一一行三人来到了一条小溪边。

但白天基本上不会有什么发现，
因为天黑之后，昆虫才会聚集在明亮处。
所以我们到达目的地后暂作休息，
一直等到日落。

川鼠

大星齿蛉

山女鳟

浩一

我

小池

夜幕降临时，
我们在溪边的路灯下，
发现成群的昆虫在飞来飞去！
只是很可惜没有发现我最想找的大星齿蛉……

值得庆幸的是，几天后家住偏远城镇的小池和浩一捉到了大星齿蛉，
还给我送了过来。

各种各样的飞行方式

仔细观察昆虫的飞行方式，你会发现：不同的昆虫，使用翅膀的方式也不尽相同。它们使用翅膀的方式，大致可以分为以下几种类型。

黄昏时一只蜉蝣目昆虫飞舞而上。它的飞行速度很快，但似乎不能够自由地变换方向。（快门速度：1/50 秒）

原始昆虫类型

蜉蝣目昆虫

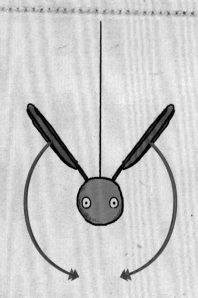

振翅角度	振翅频率
150 度以上	20~35 次 / 秒

【特点】

此类昆虫的后翅与前翅同步运动，它们的后翅有变小的趋势。

 … 前翅

… 后翅

● 蜉蝣目昆虫有趋光性，拍摄时朝着我的脸飞了过来。

13

青纹细蟌

青纹细蟌可自如改变飞行速度及飞行路径，特别不好拍，我当时拍它可没少费工夫。

池塘边生活着一种体型优美的豆娘——青纹细蟌。它在飞行过程中可保持头部及身体位置不变，能够上下、左右自由地飞行，算是一种飞行能力较强的昆虫。

（快门速度：1/20 秒）

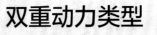

振翅角度	振翅频率
45 度以下	15~35 次 / 秒

【特点】

这类昆虫有两对翅膀，每只翅膀都可独立运动，当然并不是说它们在飞行时一直都独立扇动。其中豆娘在飞行时的振翅角度算是比较大的。

独特的身体构造：4 只翅膀可分别扇动

这其实是因为每个翅膀基部都长有肌肉。

蜻蜓目昆虫复眼的秘密

蜻蜓目昆虫长有由 2 万多只小眼睛组成的复眼，这有利于它们在空中觅食、寻找交配对象，而且它们具有比其他生物更多感知色彩的基因，所以看到的世界也许比人类看到的要更丰富多彩。

两对翅膀几乎同时扇动的类型 襀翅目昆虫

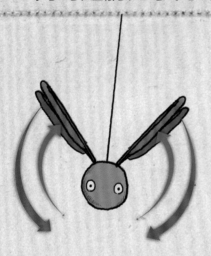

振翅角度	振翅频率
150 度以上	15~30 次 / 秒

【特点】

前后翅膀同时上下扇动，但身体与翅膀呈不同角度地运动。

在清流间飞舞的黑暗铗蠜。它的翅身比例比较大，看上去像远古时代的昆虫，并且这两对大大的翅膀还可以折叠起来收在背上。

（快门速度：1/35 秒）

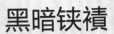

黑暗铗蠜

● 拍摄时它在我身边转了好几圈，甚至落在了我的脸上，是一种非常亲人的昆虫。

草原观察记录

夏天，我们为了捕捉飞蝗来到草原，
这次选择分头寻找。
"捉到啦！"不一会就传来浩一的声音，
我和小池不服气，又继续找了好久，
最终还是没有找到。
浩一果然厉害！飞蝗的躲藏能力也让我佩服！

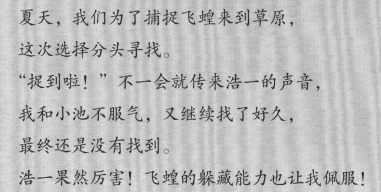

我们事先准备了温度保持在 20 多摄氏度的保鲜箱，
将捉到的飞蝗及时放了进去。
因为夏天毒辣的阳光对昆虫来说是很危险的，
它们和我们一样容易中暑。

20　● 飞蝗的腿部非常有力量，被踢到的话可是很痛的……它纵身一跃就能飞上天，这就是因为它的腿部肌肉足够发达。

在开阔草原中飞翔的飞蝗。飞蝗在蝗总科中算是单程飞行距离比较长的昆虫，甚至可以说是顶级选手！蝗总科的昆虫基本都是先靠后腿跳跃起来再展开翅膀飞行的。

（快门速度：1/35 秒　体重：1.348 克）

后翅驱动类型

蜚蠊目昆虫、蚱蜢、螳螂、竹节虫、蠼螋、日本蚤蠊、螳蛉、足丝蚁

振翅角度	振翅频率
150 度以上	15~40 次/秒

【特点】

飞蝗在飞行时后翅会相互碰到一起，但前翅不怎么扇动，它的前翅起平衡及防御的作用。蝗总科昆虫有一些会像雄性鸣虫一样，能利用前翅作为发声器官发出声音。

21

　螳螂给人的印象通常是比较凶猛的，不过我将它放在手上时，它却意外地很老实，当然偶尔也会有要攻击我的动作……

台湾大刀螳

雄性台湾大刀螳在空中滑行时翅膀是不动的，当它飞行时便会扇动翅膀。拍摄时这只螳螂举起它引以为傲的前足朝我飞了过来。

（快门速度：1/15 秒　体重：3.214 克）

日本蛩蠊

人类曾在化石中发现过有翅的蛩蠊，不过现存种都是无翅的了。如今日本蛩蠊基本生活在碎石缝隙间，所以已经不需要翅膀了，可以说它们是为了顺应生活环境进化了，这是不是很有趣呢？

大星齿蛉

一只长有大翅膀的大星齿蛉从溪流间飞过。它身姿独具风范，如溪流间的王者一般。虽然同是脉翅总目昆虫，但齿蛉的翅膀不像草蛉那样轻薄，相对厚重且结实。

（快门速度：1/20 秒）

● 虽然大星齿蛉巨大的下颚有些可怕，但它的眼睛圆圆的，十分可爱。

有效利用 4 只翅膀的类型　脉翅目昆虫、蝎蛉科昆虫、大星齿蛉

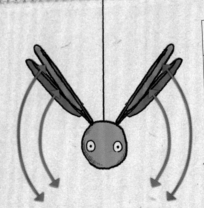

振翅角度	振翅频率
150 度以上（前翅角度小于后翅角度）	约 30 次 / 秒

【特点】

向下扇动时，两对翅膀是同时运动的，但向上扇动时是错开运动的。

25

● 斑纹角石蛾不仅飞行姿态十分像蛾，连扇动翅膀的方式都一模一样。

黄昏，河边有一只奋力飞行的斑纹角石蛾。它像蛾，这么说不仅是因为前后翅膀相连这一特点，它翅膀上还有和蛾一样的鳞片构造。

（快门速度：1/35 秒　主要使用后翅的类型）

将 4 只翅膀当 2 只翅膀使用的类型

石蛾、蝴蝶及大多数蜻总科昆虫

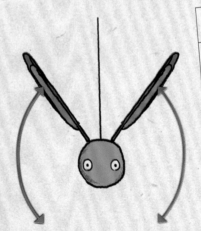

振翅角度	振翅频率
150 度左右	15~80 次 / 秒

【特点】

同侧的前后翅都是连接在一起的，飞行时同一侧的 2 只翅膀会同步扇动，前翅和后翅不分主次。

金绿宽盾蝽

● 金绿宽盾蝽是蝽总科的昆虫，很多蝽总科昆虫是出了名的臭，但金绿宽盾蝽是没什么臭味的。将它放在手心里，可能还会跟你亲近呢。

金绿宽盾蝽

这个部位大且发达。

小盾片

日铜罗花金龟

金绿宽盾蝽是一种非常美丽的昆虫，身体金光闪闪的，飞起来还会发出"嗡"的声音。它的背部看上去仿佛是一块坚硬的铜板，实际上这是它发达的小盾片。

（快门速度：1/25 秒　体重：0.302 克　主要使用后翅的类型）

29

樫小透翅蛾

这是一种身体带有黄黑相间条纹、十分像蜂的蛾。

（快门速度：1/40 秒　主要使用前翅的类型）

前翅与后翅连接结构的秘密

樫小透翅蛾的前翅后端与后翅前端长有钩状突起（翅钩列），
翅膀通过这种结构连接在一起。其他昆虫也有类似结构。

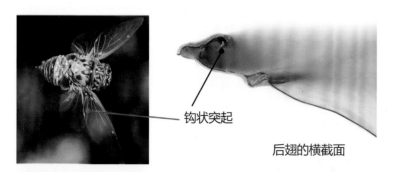

钩状突起

后翅的横截面

一只昆虫发出巨大声响穿过了森林，这是一只斑透翅蝉。它剧烈地
扇动翅膀，像子弹一样"嗖"地一下飞了过去。它的身体颜色为蓝
绿交杂，是一种十分美丽的蝉。

（快门速度：1/25 秒　体重：2.307 克　主要使用后翅的类型）

● 斑透翅蝉起飞很突然，十分难抓拍。雄性的叫声有点吵。

德罕翠凤蝶

德罕翠凤蝶翅膀的颜色是结构色，会因光照而变色。所以它的飞行姿态是比较难拍摄到的。

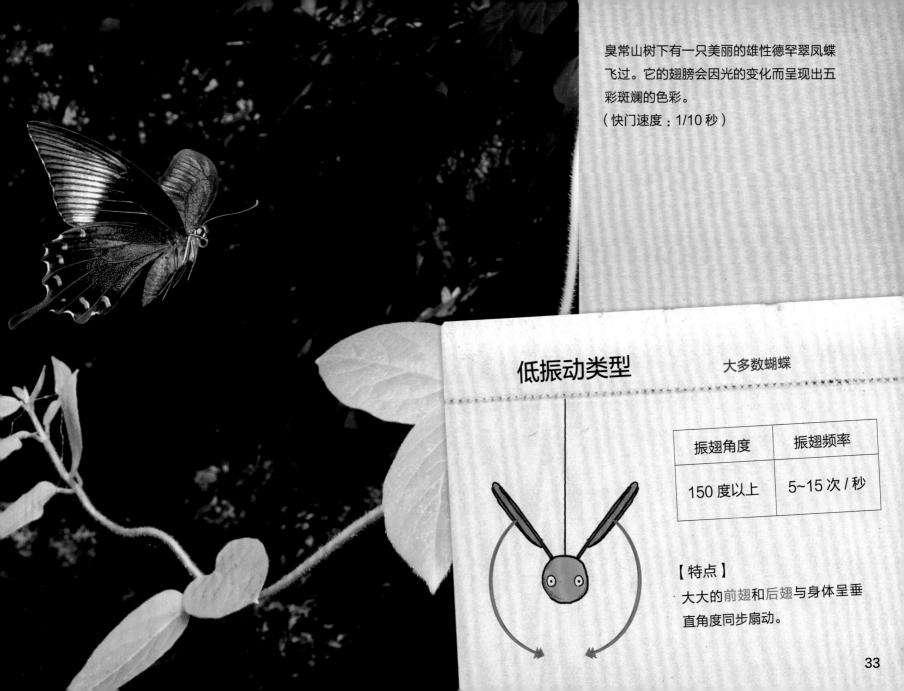

臭常山树下有一只美丽的雄性德罕翠凤蝶飞过。它的翅膀会因光的变化而呈现出五彩斑斓的色彩。

（快门速度：1/10秒）

低振动类型

大多数蝴蝶

振翅角度	振翅频率
150度以上	5~15次/秒

【特点】
大大的前翅和后翅与身体呈垂直角度同步扇动。

33

夜晚，一只雌性透目大蚕蛾慢悠悠地向街灯飞去。它的身体在光的照射下会如黄金一般闪耀，看上去十分神圣。

（快门速度：1/15秒　体重：3.348克）

鳞翅目昆虫不可思议的翅膀

大多数鳞翅目昆虫的翅膀上都长有鳞片，它们翅膀的下方比上方受到的空气阻力大。比如透目大蚕蛾，它的翅膀上有长长的鳞片，这种翅膀结构使它在飞行时可以产生浮力，更利于飞行。

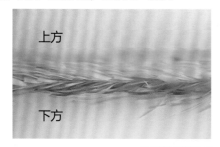

上方

下方

前翅的横截面

透目大蚕蛾

● 拍摄时透目大蚕蛾落在我的脖子上，让我觉得非常痒。仔细观察就会发现，它在飞行时会掉落很多鳞片。

树林观察记录

这次我们三人小组为了寻找独角仙（学名：双叉犀金龟）

和锹甲来到了一个树林，

首先我们需要找到它们的聚集地——流树汁的树。

走着走着，突然一只白点花潜（一种甲虫）飞过，

我们顺势上前一看，

那不就是我们要找的树嘛！

为了拍摄这棵树上的昆虫，

我们将相机和传感器[1]架了过去，

慢慢地，镜头前飞过各种各样的昆虫，

这棵树简直就是一家昆虫餐厅。

---

1 传感器是一种帮助摄影的器材，只要它感知到昆虫经过，就会自动拍摄。

完全靠后翅驱动的类型

鞘翅目昆虫

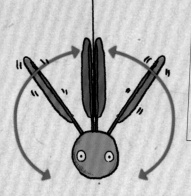

振翅角度	振翅频率
150 度以上	30~100 次 / 秒（体型越小次数越多）

【特点】

这是一种完全靠后翅提供动力来飞行的类型，后翅在上下扇动时，翅膀会在身体上方和下方有接触。这种类型的昆虫和后翅驱动类型不太一样，扇动翅膀的次数更多。

飞行过程中发出声音的秘密

昆虫翅膀在扇动时会引起空气振动从而发出声音，并且扇动次数不同，发出的声音也不一样。

● 一看到独角仙就会想到夏天，勾起我小时候过暑假的回忆。

独角仙

森林深处昏暗寂静，突然听到"嗡"的一声，
一只独角仙飞了过来。

（快门速度：1/15秒　体重：10.86克）

步甲逐渐进化成没有翅膀的模样

一些在陆地上以爬行方式生活的昆虫，翅膀会逐渐消失，这应该也算一种进化吧。

青步甲
青步甲的后翅消失，靠吃地面上的蚯蚓为生。

大星步甲
大星步甲属于有后翅的步甲，常见于树木上，靠捕捉蛾的幼虫为生。

初夏，一只身上长有圆点的昆虫绕着朽木飞过，这是日本独有的物种——琉璃星天牛，它的美可以说是大家公认的。它在飞行时会竖起长长的触角。

（快门速度：1/25 秒　体重：0.434 克）

琉璃星天牛被捉到时会张开大嘴并发出声音，看上去很可怕。

长须蜂

春天，一只可爱的小昆虫——长须蜂，从紫云英花丛中飞过。虽然它的身体被毛绒绒的白色体毛覆盖，身姿惹人怜爱，但飞行速度非常快，蜜蜂都无法与它相提并论。

（快门速度：1/45 秒 体重：0.072 克）

● 长须蜂是一种飞行速度非常快的蜂类，很难被抓拍到。

高速振翅的类型　　双翅目昆虫、膜翅目昆虫

振翅角度	振翅频率
45 度以下	40~600 次/秒

【特点】

此种类型的昆虫在正常情况下会倾斜翅膀飞行，必要时还能够自由变换翅膀角度。双翅目昆虫甚至可以纵向旋转翅膀。

超高速振翅的秘密

小型昆虫在飞行时需要比大型昆虫更加快速地振动翅膀，要做到这一点，就需要特定的身体结构支持：只要收到扇动翅膀的指令，肌肉就会自动地完成收放工作，带动翅膀运动。

43

随着春天的到来，一种毛乎乎的昆虫也出现了，它就是大蜂虻。它在双翅目昆虫中是偶像般的存在。它的振翅力度很强，如果靠近地面悬浮飞行，甚至可以卷起沙土。

（快门速度：1/45 秒）

一对翅膀的秘密

一些双翅目昆虫的后翅已经进化成棍状的平衡棒，平衡棒是它们在飞行中调节平衡的一个器官。这可以说是为了提高飞行能力而进化的结果。

平衡棒

食虫虻

大蜂虻的飞行速度非常快，要拍摄它飞翔中的姿态真是难上加难。

冬天，在长期观察白颊鼯鼠的小池和浩一的
带领下，
我们来到了一家寺庙，
这里有白颊鼯鼠栖息的巢穴（树洞）。
这是一处我们踩好点的关键地，已经事先用
测温相机测好了巢穴温度。

白颊鼯鼠观察记录

等四周暗下来，可爱的白颊鼯鼠就会将头探出树洞，
观察外面是否安全。
它一旦从树洞里出来，
就会立即滑行，我们是一点都不能放松！

除了昆虫，还有很多独特的生物不断进化着自己的"飞行工具"，我对它们也开始感兴趣了。

昆虫之外的飞行生物

昆虫是利用胸部的肌肉，

带动翅膀在天空中飞翔。

那么其他生物又是如何飞行的呢？

通过调查，我了解到一些其他生物的飞行器官。

白颊鼯鼠

白颊鼯鼠钻出洞穴，从我们仨头顶滑行而过，

仿佛一个坐垫从空中飞过。

当它落到附近的树干上就会迅速向上攀爬，

然后再次滑行，转眼间就消失在森林深处了。

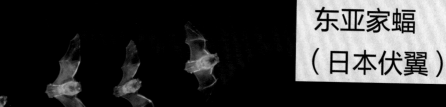

东亚家蝠（日本伏翼）

夜幕降临，空中有一个黑影在盘旋。
那是在捕捉飞虫的东亚家蝠。

东亚家蝠飞行时会用爪、前肢、肩部、后肢、尾部将皮膜展开，通过皮膜中的肌肉和特殊的骨骼自由改变翅膀的形状来实现飞行。这种飞行方式简直是一种能够媲美双翅目昆虫的飞行特技。

热带角鸮

白颊鼯鼠在飞行时会将前足和后足之间的皮膜展开，在空中滑行，它那长长的尾巴被用来掌握方向。这种方式可以让它滑行120米的距离呢。

热带角鸮利用强壮的胸部肌肉带动前足的骨骼将翅膀展开飞行。它梳子般的翅膀结构，可以保证飞行过程十分安静。

圆月照亮了夜空，一只巨大的热带角鸮静悄悄地飞出来。我完全被它圆溜溜却犀利的眼睛吸引了。

升级飞行能力

昆虫们为了觅食和寻找产卵对象，会不断磨练、提升自己的飞行能力，对此我也做了一番调查。

1. 悬停（在空中保持位置不变的飞行状态）

昆虫们为了觅食、寻找产卵对象以及求偶，练就出悬停这种高级别的飞行方式。根据昆虫们悬停时扇动翅膀的方式，可以将它们分为 3 种类型。它们无法直接利用空气浮力，而是通过增加扇动翅膀的次数来创造浮力。

西方蜜蜂（欧洲蜜蜂）

上下倾斜扇动翅膀的类型：虻、双翅目昆虫、蜻蜓，以及蜂鸟等可悬停的鸟类都可以做到。

黑纹粉蝶

前后扇动翅膀的类型：鳞翅目昆虫

独角仙

上下扇动翅膀的类型：大多数昆虫

2. 滑行

为了移动以及节省飞行所需的能量等原因，昆虫们练出滑行这种飞行方式。此种方式的重点是抑制飞行中的上升力，飞行时昆虫们会将两对翅膀向后上方旋转。

无霸勾蜓

3. 群飞

昆虫们在交配时会出现这样成群飞舞的现象，一般是雄性随着雌性飞。

摇蚊科昆虫

蚜总科昆虫（雪虫）

4. 迁徙飞翔

采取这种飞行方式是为了迁徙。一般情况下，风速大于飞行速度时昆虫们是无法飞行的，但有一些昆虫，如蚜虫，它们会随风飞翔。

昆虫的飞行原理

经过不断地观察，
我总结了昆虫在空中飞行的原理。

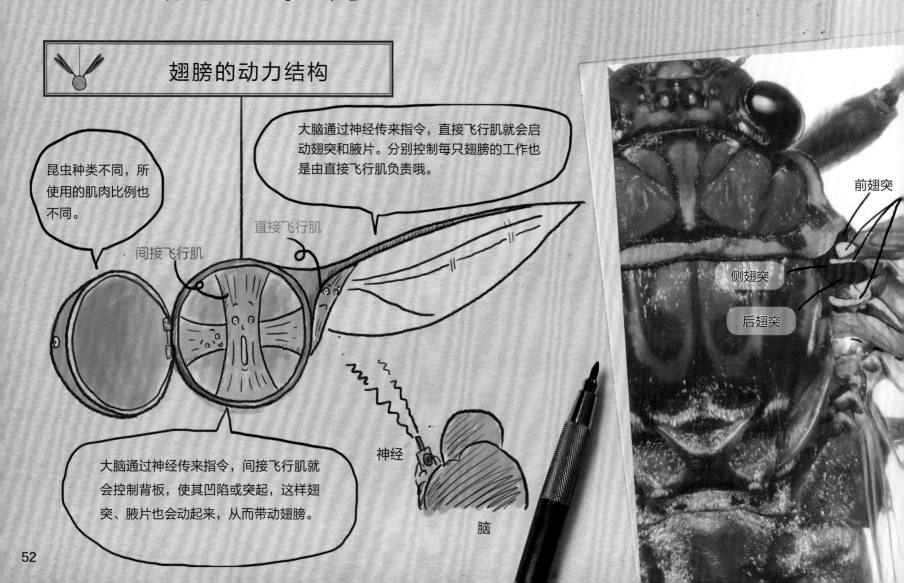

翅膀的动力结构

昆虫种类不同，所使用的肌肉比例也不同。

大脑通过神经传来指令，直接飞行肌就会启动翅突和腋片。分别控制每只翅膀的工作也是由直接飞行肌负责哦。

直接飞行肌

间接飞行肌

大脑通过神经传来指令，间接飞行肌就会控制背板，使其凹陷或突起，这样翅突、腋片也会动起来，从而带动翅膀。

神经

脑

前翅突

侧翅突

后翅突

第 1~3 腋片径脉

前~后

径脉

翅脉（翅膀上如网一般的结构）

翅脉的主要作用是强化翅膀，将从翅突和腋片得到的力传到整个翅膀。翅脉让翅膀充满褶皱，使翅膀形成凹凸不平的表面，这种表面与合页结构共同作用，使得翅膀发生扭转，从而产生上升的力量。

腋片

翅脉间褶皱结构的一部分

翅脉

褶皱结构

翅脉与褶皱结构的横截面

合页结构将前翅与后翅相连

昆虫周围产生的力

翅膀复杂的运动（扇动）在昆虫身后产生气流，气流的运动就会形成上升和向前的力量。昆虫飞行时所需的浮力要大于重力。

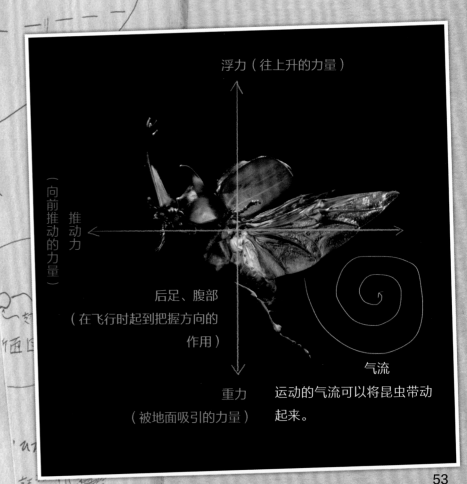

浮力（往上升的力量）

向前推动的力量

推动力

后足、腹部
（在飞行时起到把握方向的作用）

气流

重力
（被地面吸引的力量）

运动的气流可以将昆虫带动起来。

中华竹紫天牛

桂花负蝗

鼻优草螽

飞行昆虫还有许多奥秘等待我们去探索

为了拍摄飞行类昆虫，我不断观察它们的飞行姿态。通过观察，我了解到"每个物种的飞行方式都有其独特之处"。"休想随随便便地拍我们！"昆虫们也好像在用这种方式告诫我：它们都有独特的个性。拍摄前我曾思考：到底要如何将这些在空中飞行的小家伙们拍好呢？于是我请教了斑瘤叶甲工房的摄影师池田健（小池），他曾通过多年的观察和摄影经验制作出特殊的感应系统。还有佐藤浩一，他对各类生物的生态都非常了解。我们三人反复测试，完成了这套昆虫摄影系统。

做好万全准备后我们开始拍摄昆虫。当然昆虫不会不请自来，为了捕捉目标昆虫，我们仨跑遍了山山水水，同时我还需要调查各类昆虫的飞行方式。只是没想到，直到现在也没有完全解开昆虫飞行的奥秘。这本书是我边学习昆虫的飞行原理边拍摄完成的。

剪枝象

遗憾的是，我还没有将昆虫飞行的奥秘全部解开，但这也是留给我和各位读者"发现新大陆"的机会，大家有没有觉得很激动？

最后我想向本次做我模特的昆虫们表达最诚挚的谢意：感谢在拍摄时追我的大虎头蜂、夹我的锯锹甲……

55

©TAKAO OHTA

星辉行

昆虫摄影家。出生于日本神奈川县，在东京都长大，毕业于日本兽医生命科学大学兽医专业。从小就对各类生物有着浓厚的兴趣，养过各种各样的动植物。为了让更多恐虫人士对昆虫产生兴趣，他用自制的摄影器材拍摄出许多昆虫飞行过程的分镜照片，为青少年图书、图鉴供图，还撰写有关生物习性的文章和图书。

图书在版编目（ＣＩＰ）数据

飞行的虫子 /（日）星辉行著；光合作用译 . —长沙：湖南科学技术出版社 , 2021.12
（自然侦探团）
ISBN 978-7-5710-0963-2

Ⅰ . ①飞…　Ⅱ . ①星…②光…　Ⅲ . ①昆虫－少儿读物　Ⅳ . ① Q96-49

中国版本图书馆 CIP 数据核字 (2021) 第 076341 号

SORA WO TOBU KONCHUU NO HIMITSU
© TERUYUKI HOSHI 2017
Originally published in Japan in 2017 by SHONEN SHASHIN SHIMBUNSHA, INC.
Chinese (Simplified Character only) translation rights arranged with
SHONEN SHASHIN SHIMBUNSHA, INC.
through TOHAN CORPORATION, TOKYO.

中文简体字版由日本株式会社少年写真新闻社独家授权

FEIXING DE CHONGZI

飞行的虫子

著　　者：［日］星辉行
译　　者：光合作用
出 版 人：潘晓山
责任编辑：李　霞　姜　岚　杨　旻
封面设计：有象文化
责任美编：谢　颖
出版发行：湖南科学技术出版社
社　　址：长沙市湘雅路 276 号
网　　址：http://www.hnstp.com
湖南科学技术出版社天猫旗舰店网址：
　　　　　http://hnkjcbs.tmall.com
邮购联系：本社直销科 0731-84375808

印　　刷：长沙市雅高彩印有限公司
　　　　　（印装质量问题请直接与本厂联系）
厂　　址：长沙市开福区中青路1255号
邮　　编：410153
版　　次：2021 年 12 月第 1 版
印　　次：2021 年 12 月第 1 次印刷
开　　本：787mm×1092mm　1/16
印　　张：4
字　　数：50 千字
书　　号：ISBN 978-7-5710-0963-2
定　　价：38.00 元

独角仙

鞘翅目 金龟科

体长约40毫米（不包括角），分布在本州至九州等地区，具有夜行性。

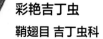

彩艳吉丁虫

鞘翅目 吉丁虫科

体长约33毫米，分布在本州至九州等地区，经常聚集在朴树上。

长须蜂

膜翅目 蜜蜂科

体长约11毫米，分布在本州至九州等地区，喜欢明亮的草原。

纯色罗花金龟

鞘翅目 金龟科

体长约25毫米，分布在北海道至九州等地区，聚集在有树汁或腐烂果实的地方。

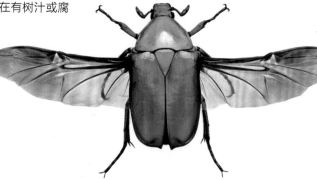

小异竹节虫

竹节虫目 竹节虫科

体长约45毫米，分布在本州至九州等地区，在九州以北地区大多数只靠雌性繁殖。

秋赤蜻

蜻蜓目 蜻科

体长约40毫米，分布在北海道至九州等地区，夏季生活在高山地区，秋季回到平原地区。

新襀属昆虫

襀翅目 襀科

体长约15毫米，喜欢生活在小溪、湖泊及沼泽边。

日本虎凤蝶

鳞翅目 凤蝶科

前翅长约32毫米，分布在本州地区，早春出现，徘徊在花丛中。

金绿宽盾蝽

半翅目 盾蝽科

体长18毫米左右，分布在本州至九州等地区，常见于枹栎和灯台树上。

斑纹角石蛾

毛翅目 角石蛾科

体长15毫米左右，分布在北海道至九州等地区，生存在小溪的上流至下流周围的树林里。

大蜂虻

双翅目 蜂虻科

体长10毫米左右，分布在北海道至九州等地区，喜欢阳光充足的树林边。

透目大蚕娥

鳞翅目 天蚕蛾科

前翅长约70毫米，分布在北海道至九州等地区，喜欢聚集在麻栎树上。

蓝绿丝螅

蜻蜓目 丝螅科

体长约46毫米，分布在本州至九州等地区，喜欢栖息在池塘周围的树林里。

胡蝉

半翅目 蝉科

体长约37毫米，分布在北海道至九州等地区，喜欢湿润的森林。

大食虫虻

双翅目 食虫虻科

体长约25毫米，分布在北海道至九州等地区，喜欢生活在森林边。